义务教育课程标准实验教科书

语文

YU WEN

二 年 级　上册

二年级＿＿＿班

姓名＿＿＿＿

义务教育课程标准实验教科书

语　文

二年级　上册

课　程　教　材　研　究　所
小学语文课程教材研究开发中心　编著

*

人　民　教　育　出　版　社　出　版
（北京市海淀区中关村南大街 17 号院 1 号楼　邮编：100081）

网址：http://www.pep.com.cn

福　建　省　出　版　总　社　重　印

福　建　省　新　华　书　店　发　行

福　建　二　新　华　印　刷　有　限　公　司　印　刷

*

开本　890 毫米×1 240 毫米　1/32　印张 6　字数 105 000
2001 年 12 月第 1 版　2006 年 5 月第 4 次印刷
印数：1—311,000

ISBN 7-107-15283-1
———————————————　定价：6.12 元
G · 8373（课）

学科编委会主任：韩绍祥　吕　达

本　册　主　编：崔　峦　蒯福棣

副　　主　　编：陈先云　蔡玉琴

编　写　人　员：蔡玉琴　徐　轶　崔　峦　蒯福棣

　　　　　　　　陈先云　周国华　李云龙　孟令全

　　　　　　　　刘　芬　袁晓峰　熊开明　周光旋

　　　　　　　　傅先蓉　丁培忠　陆　云　段燕梅

　　　　　　　　王　林

插　图　作　者：杨荟铼　郜　欣　周　申　王庆洪

　　　　　　　　王　巍　王　平　黄雨鸿　等

责　任　编　辑：蔡玉琴

封　面　设　计：林荣桓

标 ▲ 的是选读课文。

过了炎(yán)热的夏天，我们走进了凉爽(shuǎng)的秋天。秋天的景象真美呀，就像一幅(fú)幅多彩的图画。

识字 1

金秋时节　　景色宜人
层林尽染　　叠翠流金

宜　层　尽　染　叠　翠
yí　céng　jìn　rǎn　dié　cuì

天高云淡　　大雁南飞
秋高气爽　　山河壮美

五谷丰登　　瓜果飘香
春华秋实　　秋收冬藏

我还收集了一些
关于秋天的词语。

shuǎng	zhuàng	gǔ	dēng	huá
爽	壮	谷	登	华

我会认

宜 层 尽 染 叠 翠
爽 壮 谷 登 华

我会写

宜	宜			实	实		
色	色			华	华		
谷	谷			金	金		
尽	尽			层	层		
丰	丰			壮	壮		

我会读

尽力	尽情	爽快	凉爽	直爽
翠绿	翠竹	壮丽	壮观	雄壮
华灯	华丽	谷子	稻谷	山谷
登山	登高	层叠	楼层	表层

1 秋天的图画

秋天来啦，秋天来啦，山野就是美丽的图画。梨树挂起金黄的灯笼，苹果露出红红的脸颊，稻海翻起金色的波浪，高粱举起燃烧的火把。谁使秋天这样美丽？看，蓝天上的大雁作出了回答，它们排成一个大大的"人"字，好像在说——勤劳的人们画出秋天的图画。

tú 图　lí 梨　lóng 笼　jiá 颊　làng 浪

liáng 梁　rán 燃　qín 勤　láo 劳

图 梨 笼 浪 梁 燃 勤 劳

波	波			浪	浪		
灯	灯			作	作		
字	字			苹	苹		
丽	丽			劳	劳		

读读背背 朗读课文。背诵课文。

我会读

梨树挂起金黄的灯笼。

苹果露出红红的脸颊。

稻海翻起金色的波浪。

高粱举起燃烧的火把。

我想画秋天的果园。

我想捡几片落叶做书签。

把咱们的作品带来，办个展览吧！

2 黄山奇石

　　闻名中外的黄山风景区在我国安徽省南部。那里景色秀丽神奇，尤其是那些怪石，有趣极了。

　　就说"仙桃石"吧，它好像从天上飞下来的一个大桃子，落在山顶的石盘上。

qū　　huī　　shěng　　shén　　yóu
区　　徽　　省　　神　　尤

qí　　jí　　xiān　　pán
其　　极　　仙　　盘

　　在一座陡峭的山峰上，有一只"猴子"。它两只胳膊抱着腿，一动不动地蹲在山头，望着翻滚的云海。这就是有趣的"猴子观海"。

　　"仙人指路"就更有趣了！远远望去，那巨石真像一位仙人站在高高的山峰上，伸着手臂指向前方。

dǒu	qiào	fēng	gē	bó
陡	峭	峰	胳	膊

bào	zhǐ	jù	bì
抱	指	巨	臂

每当太阳升起，有座山峰上的几块巨石，就变成了一只金光闪闪的雄鸡。它伸着脖子，对着天都[dū]峰不住地啼叫。不用说，这就是著名的"金鸡叫天都"了。

黄山的奇石还有很多，像"天狗望月""狮子抢球""仙女弹琴"……那些叫不出名字的奇形怪状的岩石，正等着你去给它们起名字呢！

dāng	bó	tí	zhù	qiǎng
当	脖	啼	著	抢

tán	qín	xíng	zhuàng	yán
弹	琴	形	状	岩

我会认

区 尤 其 仙 盘 峰 胳
膊 巨 当 脖 著 形 状

尤	尤			其	其		
区	区			巨	巨		
它	它			安	安		
块	块			站	站		

读读背背 朗读课文。背诵自己喜欢的部分。

想想说说 想一想"天狗望月""狮子抢球"
"仙女弹琴"这几块奇石的样子，
再挑一块说一说。

黄山石真奇特，咱们去
找找黄山奇石的图片。

10

 ## 3　植物妈妈有办法

孩子如果已经长大，
就得告别妈妈，四海为[wéi]家。
牛马有脚，鸟有翅膀，
植物要旅行靠的什么办法？

蒲公英妈妈准备了降落伞，
把它送给自己的娃娃。
只要有风轻轻吹过，
孩子们就乘着风纷纷出发。

苍耳妈妈有个好办法，
她给孩子穿上带刺的铠甲。

旅　蒲　降　娃　乘
lǚ　pú　jiàng　wá　chéng

纷　苍　刺　铠
fēn　cāng　cì　kǎi

只要挂住动物的皮毛，
孩子们就能去田野、山洼。

豌豆妈妈更有办法，
她让豆荚晒在太阳底下。
啪的一声，豆荚炸开，
孩子们就蹦着跳着离开妈妈。

wā	wān	jiá	pā	zhà	bèng
洼	豌	荚	啪	炸	蹦

植物妈妈的办法很多很多，

不信你就仔细观察。

那里有许许多多的知识，

粗心的小朋友却得不到它。

xìn
信

chá
察

shí
识

我还知道别的植物
传播种子的方法。

旅 蒲 降 娃 纷 苍
洼 啪 炸 蹦 察 识

已	已			甲	甲		
豆	豆			识	识		
纷	纷			经	经		
如	如			好	好		
娃	娃			洼	洼		

朗读课文。背诵课文。

许许多多　高高兴兴　进进出出

——————　——————　——————

花花绿绿　快快乐乐　说说笑笑

——————　——————　——————

4 古诗两首

赠刘景文

苏 轼

荷尽已无擎雨盖，
菊残犹有傲霜枝。
一年好景君须记，
正是橙黄橘绿时。

zèng	liú	qíng	jú	cán
赠	刘	擎	菊	残

yóu	jūn	xū	chéng	jú
犹	君	须	橙	橘

山　行

杜牧

远上寒山石径斜，
白云生处有人家。
停车坐爱枫林晚，
霜叶红于二月花。

jìng 径　　xié 斜　　fēng 枫　　yú 于

16

我会认

刘 菊 残 君 橙 橘 径 斜 枫 于

我会写

于	于			首	首		
枝	枝			枫	枫		
记	记			刘	刘		

读读背背 朗读课文。背诵课文。

我会填

		寒			径	斜	，
							。
停							，
霜							。

我还会背别的古诗，现在就背给大家听。

语文园地一

我的发现

我利用熟字学会了几个生字，你知道我是用什么方法学会的吗？

郊——交（立交桥） jiāo ｜ 球——求（要求） qiú yāo

枝——支（一支歌） zhī ｜ 帆——凡（平凡） fán

笼——龙（龙灯） lóng ｜ 梨——利（顺利） lì

我会认

交 支 龙 求 凡 利

我会写

植 橘 橙 _____　　　脖 胳 膊 _____

苍 菊 著 _____　　　字 宜 察 _____

每组字都有相同的地方，我还能写几个。

日积月累

我会读

娃娃　胳膊　光盘　名片　旅游团

山峰　巨石　枫树　菊花　风景区

翠鸟　甲鱼　高粱　橘子　降落伞

勤劳　观察　认识　尤其　奇形怪状

读读背背

秋天到

秋天到，秋天到，

田里庄稼长得好。
（zhuāng jià）

棉花朵朵白，

大豆粒粒饱，
（lì）（bǎo）

高粱涨红了脸，
（zhàng）

稻子笑弯了腰。

秋天到，秋天到，

园里果子长得好。

枝头结柿子（shì），

架上挂葡萄（pú táo），

黄澄澄（dèng）的是梨，

红彤彤（tóng）的是枣（zǎo）。

秋　游

秋天多美呀，我们建议老师组（zǔ）织（zhī）一次秋游吧！咱（zán）们先商量一下到哪儿去，干什么，做哪些准备，再向老师提出建议。

20

展示台

我们的作品

祝老师
节日快乐！

大雁，大雁，
我们的朋友。
你扇动翅膀，
向我们招手。

刘小龙

同学之(zhī)间、课堂(táng)内(nèi)外发生过许多难忘的事，学校生活多么丰富(fù)多彩呀！

识字 2

练书法　　画图画　　下象棋

弹钢琴　　拉二胡　　唱京戏

栽花草　　喂鸽子　　养金鱼

做航模　　学电脑　　观天气

qí	tán	gāng	qín	hú	xì
棋	弹	钢	琴	胡	戏

wèi	gē	yǎng	háng	mó
喂	鸽	养	航	模

棋 弹 钢 琴 胡 戏
喂 鸽 养 航 模

我会写

胡	胡			戏	戏		
棋	棋			钢	钢		
观	观			弹	弹		
琴	琴			养	养		

读读说说

棋　　棋盘　　棋子　　围棋　　跳棋

戏　　航　　琴　　钢　　弹　　养

5 一株紫丁香

踮起脚尖儿，
走进安静的小院，
我们把一株紫丁香，
栽在老师窗前。

老师，老师，
就让它绿色的枝叶，
伸进您的窗口，
夜夜和您做伴。

老师——
绿叶在风里沙沙，
那是我们给您唱歌，
帮您消除一天的疲倦。

zhū	diǎn	yuàn	chú	pí	juàn
株	踮	院	除	疲	倦

本文根据滕毓旭作品改写。

老师——

满树盛开的花儿，

那是我们的笑脸，

感谢您时时把我们挂牵。

夜深了，星星困得眨眼，

老师，休息吧，

让花香飘进您的梦里，

那梦啊，准是又香又甜。

qiān
牵

kùn
困

株 踮 院 除 疲 倦 牵 困

休	休			伸	伸		
甜	甜			歌	歌		
院	院			除	除		
息	息			您	您		
牵	牵			困	困		

读读背背　朗读课文。背诵课文。

我会读

老师	笑脸	小院	枝叶	窗口
休息	唱歌	安静	盛开	感谢
挂牵	消除	疲倦	眨眼	又香又甜

上面的词语，会
写的我都写一写。

27

6 我选我

　　李小青是我们班的劳动委员。前几天，他转到别的学校上学了。

　　今天开班会，林老师让大家补选一名劳动委员。选谁呢？教室里静悄悄的，大家都在想。突然，王宁站起来说："我选我。"

wěi	bǔ	shì	níng
委	补	室	宁

本文作者李大同。

大家都愣住了。林老师亲切地说："王宁，说说吧，你为什么选自己？"王宁说："我和李小青是好朋友。他爱劳动，爱集体。我要像他一样热爱劳动，关心集体。"

王宁的话刚说完，教室里响起一片掌声。

为什么王宁的话刚说完，教室里就响起一片掌声？

lèng　　　qiè　　　jí　　　zhǎng
愣　　　切　　　集　　　掌

我会认

委补室宁愣切集掌

我会写

员	员			青	青		
宁	宁			室	室		
样	样			校	校		
切	切			教	教		
响	响			班	班		

读一读 朗读课文。

我会读

李小青是我们班的劳动委员。
我们班的劳动委员是李小青。

刘爽是我的好朋友。
我的好朋友是刘爽。

7 一分钟

丁零零，闹钟响了。元元打了个哈欠，翻了个身，心想：再睡一分钟吧，就一分钟，不会迟到的。

过了一分钟，元元起来了。他很快地洗了脸，吃了早点，就背[bēi]着书包上学去了。走到十字路口，他看见前面是绿灯，刚想走过去，红灯亮了。他叹了口气，说："要是早一分钟就好了。"

zhōng	líng	nào	hā	qiàn	chí	tàn
钟	零	闹	哈	欠	迟	叹

本文根据鲁兵作品改写。

他等了好一会儿，才走过十字路口。他向停在车站的公共汽车跑去，眼看就跑到车站了，车子开了。他又叹了口气，说："要是早一分钟就好了。"

　　他等啊等，一直不见汽车的影子，元元决定走到学校去。

　　到了学校，已经上课了。元元红着脸，低着头，坐到了自己的座位上。李老师看了看手表，说："元元，今天你迟到了20分钟。"

　　元元非常后悔。

jué
决

huǐ
悔

我会认

钟 零 闹 哈 欠 迟 叹 决 悔

我会写

欠	欠			元	元		
包	包			钟	钟		
叹	叹			哈	哈		
迟	迟			闹	闹		

读一读　　朗读课文。

找找说说

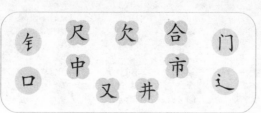

钅　　尺　欠　合　　　门
口　　中　　　市　　　辶
　　　　又　井

口字旁和"又"
组成"叹"，"叹气"。

33

8 难忘的一天

1984年2月16日，是我最难忘的日子，我为邓小平爷爷做了电子计算机表演。

那天早晨，我冒着严寒，快步走到工业展览馆。想到马上就要见到邓爷爷，我又紧张又激动，心怦怦地跳个不停。

邓爷爷来啦！他带着慈祥的微笑向我走来。我连忙敬了个队礼，说："邓爷爷，您好！"邓爷爷高兴地点点头，紧紧地握住了我的手。看着邓爷爷和蔼可亲的样子，我紧张的心情一下子就平静了下来。

jì	suàn	yǎn	mào	yán	lǎn	guǎn
计	算	演	冒	严	览	馆

jǐn	pēng	cí	xiáng	wò	ǎi
紧	怦	慈	祥	握	蔼

　　开始表演了。我沉着地操纵着计算机，顺利地打出各种各样的图形来。邓爷爷仔细地看了我的表演，脸上露出了满意的笑容。

shǐ
始
cāo
操
zòng
纵
róng
容

表演过后，邓爷爷还亲切地问了我的年龄。我说刚满十岁。邓爷爷听了，赞许地再一次和我握手，并对身边的人说："计算机的普及要从娃娃抓起。"

离开展览馆，我兴[xīng]奋地走在回家的路上。天，仿佛格外的蓝；阳光，仿佛更加灿烂。我忘不了这一天，忘不了肩上担负的责任。

我也想学电子计算机。

pǔ	zhuā	fèn	càn	làn
普	抓	奋	灿	烂

jiān	fù	zé	rèn
肩	负	责	任

我会认

计 算 冒 览 馆 紧 怦
握 容 普 奋 灿 烂

及	及			身	身		
仔	仔			细	细		
次	次			外	外		
计	计			怦	怦		
礼	礼			加	加		

读一读　朗读课文。

我会读

高兴地　　仔细地　　亲切地　　紧紧地

顺利地　　兴奋地　　赞许地　　沉着地

我还能用"仔细地"
说句子、写句子呢。

语文园地二

白——柏（柏树） 尤——优（优美）
bǎi   yōu

己——纪（纪念） 生——胜（胜利）
jì   shèng

方——纺（纺线） 弯——湾（台湾）
fǎng   wān

只——织（织毛衣）立——粒（一粒米）
zhī   lì

用这种方法识字真轻松！

我会认

柏 纪 纺 织 优 胜 湾 粒

我会读

扫地　　提水　　搬桌子
                  zhuō

推车　　挑土　　抬木头

捕鱼　　捉虫　　抓小鸡
                  zhuā

我发现带点的字……

读读比比　访问　　国旗　　钢笔　　形状　　桥梁

　　　　　　　纺线　　象棋　　刚才　　粗壮　　高梁

读读记记

三横王　　草头黄　　弓长张　　立早章(zhāng)

王(héng)

古月胡　　口天吴(wú)　　双口吕(lǚ)　　木土杜(dù)

言午许　　双人徐(xú)　　耳东陈(chén)　　干钩于(gōu)

学习查字典

　　遇到不认识的字，可以用部首查字法查字典(diǎn)。先确(què)定要查的部首，在"部首目录(lù)"里找到这个字的部首和页码(mǎ)。根据(jù)页码在"检(jiǎn)字表"中找到这个部首和要查的字。再按(àn)页码在正文中找，就可以查到这个字了。

● 从字典的"部首目录"中查出下面的部首在"检字表"的第(dì)几页。

冫（　）　扌（　）　宀（　）　心（　）

● 数一数，下面的字除去部首有几画。

计（　）　实（　）　饭（　）　浪（　）

除（　）　刻（　）　枝（　）　烂（　）

● 用部首查字典的方法查字。

要查的字	部　首	除去部首有几画	在字典的哪一页	读　音
陆				
锣				
箭				
阔				

我的想法

王宁选自己当劳动委员，对这件事你怎么看？如果班里改选干部，你会不会选自己？说说自己的想法，和同学讨(tǎo)论讨论。

展 示 台

我唱段京戏。

我讲个故事。

我……

祖国是我们的母亲，我们是祖国的孩子。我们都爱伟(wěi)大的祖国。

识字 3

我神州，称华夏，山川美，可入画。

黄河奔，长江涌，长城长，珠峰耸。

台湾岛，隔海峡，与大陆，是一家。

各民族，齐奋发，争朝夕，兴中华。

shén	zhōu	chuān	yǒng	sǒng	dǎo
神	州	川	涌	耸	岛

gé	xiá	yǔ	lù	mín	zú
隔	峡	与	陆	民	族

我会认

神 州 川 涌 岛 隔
峡 与 陆 民 族

我会写

夕	夕			与	与	
川	川			州	州	
台	台			争	争	
民	民			族	族	

我会读

山川　四川　民族　人民　市民
台湾　海湾　大陆　陆地　陆军
神州　广州　隔壁　隔离　隔断

读读认认

zàng
藏族

měng
蒙古族

高山族

wéi wú ěr
维吾尔族

9 欢　庆

田野献上金黄的果实，

枫林举起火红的旗帜，

蓝天飞着洁白的鸽子，

大海奏起欢乐的乐曲。

十三亿孩子

欢庆这美好的日子，

十月一日——

祖国妈妈的生日。

　qìng　　　xiàn　　　zhì　　　jié
庆　　　献　　　帜　　　洁

　zòu　　　qǔ　　　yì
奏　　　曲　　　亿

本文根据郭荣安作品改写。

我会认

庆 献 帜 洁 奏 曲 亿

我会写

亿	亿			洁	洁		
欢	欢			祖	祖		
旗	旗			帜	帜		
庆	庆			曲	曲		

读读背背　朗读课文。背诵课文。

读读写写

洁 < 整洁
　　　( )

庆 < 庆祝
　　　( )

曲 < 歌曲
　　　( )

我想给课文画一幅插图。

我想给课文配一幅图片。

10 北 京

北京是我国的首都，是一座美丽的城市。

天安门在北京城的中央，红墙、黄瓦，又庄严，又美丽。天安门前面是宽阔的广场。广场中间矗立着人民英雄纪念碑。

北京有许多又宽又长的柏油马路。道路两旁，绿树成阴，鲜花盛开。北京新建了

yāng	wǎ	zhuāng	yán	kuò	chù	bēi
央	瓦	庄	严	阔	矗	碑

许多立交桥。立交桥的四周有绿毯似的草坪和拼成图案的花坛。各种车辆在桥上桥下来来往往，川流不息。

北京有许多名胜古迹和风景优美的公园，还有许多新建的高楼大厦。站在高处一看，全城到处是绿树，到处是大楼。

北京真美啊！我们爱北京，我们爱祖国的首都！

你知道北京有哪些新变化吗？

zhōu	tǎn	shì	pīn
周	毯	似	拼

àn	tán	jì	shà
案	坛	迹	厦

我会认

央 瓦 庄 严 阔 碑 周
似 拼 案 坛 迹 厦

我会写

央	央			交	交		
市	市			旁	旁		
优	优			阴	阴		
坛	坛			城	城		
国	国			图	图		

读读背背 朗读课文。背诵自己喜欢的部分。

读读记记 绿树成阴　鲜花盛开　风景优美
来来往往　高楼大厦　名胜古迹

11 我们成功了

2001年7月13日的夜晚，北京申办2008年奥运会成功了。喜讯传来，人们不约而同地涌上街头，北京立刻变成了欢乐的海洋。

天安门广场聚集了几十万群众。人们

gōng	ào	xùn	chuán	yuē	jù
功	奥	讯	传	约	聚

挥舞着国旗，在欢庆的锣鼓声中一遍遍高呼："我们成功了！""我们爱北京！""祖国万岁！"

中华世纪坛人如海，歌如潮。人们相互击掌，相互拥抱，任激动的泪水尽情流淌。江泽民主席等国家领导人来到欢乐的人群中，与大家同欢呼，共歌唱，把庆祝活动推向高潮。

2008 年，奥林匹克旗帜将在中国北京高高飘扬。

huī	luó	hū	jī	yōng	bào
挥	锣	呼	击	拥	抱

rèn	lèi	tǎng	zé	kè	yáng
任	泪	淌	泽	克	扬

讯 传 约 聚 挥 锣 呼
击 拥 抱 泪 泽 克 扬

我会写

申	申			匹	匹		
互	互			京	京		
泪	泪			洋	洋		
拥	拥			抱	抱		
相	相			扬	扬		

读一读 朗读课文。

我会读 天安门广场聚集了几十万群众。

中华世纪坛人如海，歌如潮。

北京立刻变成了欢乐的海洋。

12 看 雪

　　在我国台湾省，是很难看到雪的。

　　过春节的时候，孩子们在商店的橱窗里看到了美丽的雪景。那是用洁白的棉花做成的。

　　孩子们问老师："您看见过真的雪吗？"

　　老师微笑着点点头。

　　"您是在哪儿见过的？"孩子们惊奇地问。

　　老师说："小时候，在我的故乡。"她顺手指了指地图上的北京。

　　我也能从地图上找到北京和台湾。

　　"北京离这儿很远吧？"孩子们问。

　　老师说："不算太远。"接着她就给孩子们讲起童年玩雪的情景。

shěng	diàn	chú	zhǐ	jiē	jiǎng
省	店	橱	指	接	讲

冬天，天上飘着雪花，地上铺着雪毯，树上披着银装，到处一片洁白。小伙伴们在雪地上堆雪人、打雪仗，玩得可高兴了！

孩子们争着问老师："什么时候能带我们到北京去看看真的雪呢？"

老师望望大家，深情地说："那里的小朋友正盼着你们去和他们一起玩儿呢！"

pū	tǎn	yín	zhàng
铺	毯	银	仗

我会认

省 店 橱 指 接 讲 铺 毯 银 仗

我会写

讲	讲			打	打		
指	指			接	接		
惊	惊			故	故		
候	候			奇	奇		

读一读 朗读课文。

我会连

堆　　　雪景　　　飘着　　　银装

打　　　雪人　　　披着　　　雪毯

看　　　雪仗　　　铺着　　　雪花

语 文 园 地 三

我的发现

进 — 退^{tuì}

快 — 慢

安 全 — 危 险^{wēi xiǎn}

买^{mǎi} — 卖^{mài}

正 — 反^{fǎn}

复 杂^{zá} — 简 单^{jiǎn dān}

我发现这几组
词有一个共同点。

我会认

退 危 险 买 卖 反 杂 简 单

日积月累

我会选

美丽　　有名　　中央　　非常

中心　　中央　　　　著名

特别　　　　　　漂亮

花坛真漂亮啊！我要把它拍下来。

北京真＿＿啊！我多么想＿＿＿＿＿。

＿＿＿＿真＿＿！我＿＿＿＿＿＿。

我会读

我爱祖国

我爱万里长城，

我爱小河；

我爱五星红旗，

我爱白鸽；

我爱红领巾，

我爱花朵；

我爱爸爸妈妈，

我爱老师同学。

你要问我最爱什么，

我最爱我的祖国！

儿歌作者张光昌。

我们去"旅游"

自由组(zǔ)成"旅游团"，轮(lún)流当"导游"，给大家介(jiè)绍(shào)自己知道的风景名胜。"游客(kè)"可以随(suí)时向"导游"提问题，"导游"要耐(nài)心解答。

展 示 台

最近，我从书报上又认了不少字。

我有一套北京风景明信片，请大家看看。

我会跳新疆舞。

一些词(cí)语和故事能使我们受(shòu)到启(qǐ)发，让我们认真读一读吧！

识字 4

尺有所短　寸有所长

取长补短　相得益彰

管中窥豹　坐井观天

一叶障目　不见泰山

拔苗助长　徒劳无功

瓜熟蒂落　水到渠成

cùn　yì　zhāng　kuī　bào　zhàng
寸　益　彰　窥　豹　障

tài　tú　gōng　dì　qú
泰　徒　功　蒂　渠

我会认

寸 益 彰 豹 障 泰 徒 功 渠

我会写

寸	寸			落	落		
补	补			拔	拔		
功	功			助	助		
取	取			所	所		

我会读

泰山　豹子　徒弟　水渠　尺寸

利益　益虫　功劳　功课　表彰

咱们去找一些成
语故事读一读，好吗？

好。我还要把故事中的生
字做成卡片，留着复习用呢！

13 坐井观天

青蛙坐在井里。小鸟飞来，落在井沿上。

青蛙问小鸟："你从哪儿来呀？"

小鸟回答说："我从天上来，飞了一百多里，口渴了，下来找点水喝。"

青蛙说："朋友，别说大话了！天不过井口那么大，还用飞那么远吗？"

小鸟说："你弄错了。天无边无际，大得很哪！"

沿^{yán}　际^{jì}

青蛙笑了，说："朋友，我天天坐在井里，一抬头就看见天。我不会弄错的。"

小鸟也笑了，说："朋友，你是弄错了。不信，你跳出井口来看一看吧。"

青蛙如果跳出井口会看到什么，会说些什么？

xìn
信

61

我会认

沿 际 信

我会写

信	信			沿	沿		
抬	抬			际	际		
蛙	蛙			错	错		
答	答			还	还		

我会读

分角色朗读课文。

读读抄抄

小鸟　青蛙　朋友　坐井观天
————　————　————　————————

看见　井沿　抬头　无边无际
————　————　————　————————

14　我要的是葫芦

　　从前，有个人种了一棵葫芦。细长的葫芦藤上长满了绿叶，开出了几朵雪白的小花。花谢以后，藤上挂了几个小葫芦。多么可爱的小葫芦哇！那个人每天都要去看几次。

　　有一天，他看见叶子上爬着一些蚜虫，心里想，有几个虫子怕什么！他盯着小葫芦自言

hú	lú	téng	wa	dīng
葫	芦	藤	哇	盯

本文根据刘仲元作品改写。

自语地说："我的小葫芦，快长啊，快长啊！长得赛过大南瓜才好呢！"

一个邻居看见了，对他说："你别光盯着葫芦了，叶子上生了蚜虫，快治一治吧！"那个人感到很奇怪，他说："什么？叶子上的虫还用治？我要的是葫芦。"

没过几天，叶子上的蚜虫更多了。小葫芦慢慢地变黄了，一个一个都落了。

lín
邻

种葫芦的人看到小葫芦都落了，会想些什么呢？

葫 芦 藤 哇 盯 邻

我会写

言	言			每	每		
治	治			棵	棵		
挂	挂			哇	哇		
怪	怪			慢	慢		

读一读　　朗读课文。

我会读　　叶子上的虫还用治？

叶子上的虫不用治。

有几个虫子怕什么！

有几个虫子不可怕。

15 小柳树和小枣树

院子里有一棵小柳树和一棵小枣树。

小柳树的腰细细的，树枝绿绿的，真好看。小柳树看看小枣树，树枝弯弯曲[qū]曲的，一点儿也不好看。小柳树说："喂，小枣树，你的树枝多难看哪！你看我，多漂亮！"

春天，小柳树发芽儿了。过了几天，小柳

zǎo
枣

本文根据孙幼军作品改写。

树的芽儿变成小叶子，她穿上一身浅绿色的衣服，真美！她看看小枣树，小枣树还是光秃秃的。小柳树说："喂，小枣树，你怎么不长叶子呀？你看我，多漂亮！"

又过了好些日子，小枣树才长出了小小的叶子。这时候，小柳树的叶子已经长得又细又长了。她在微风里得意地跳起舞来。

到了秋天，小枣树结了许多又大又红的

qiǎn　　　　tū
浅　　　秃

枣子。大家把枣子打下来，坐在院子里，高高兴兴地吃起来。

小柳树看看自己，什么也没结。她想：从前我总是说枣树不好看，这回她该说我啦！可是过了一天又一天，小枣树什么也没说。小柳树实在忍不住了，她问小枣树："你怎么不说我呀？"小枣树不明白，问道："说你什么呀？"小柳树低下头，说："说我不会结枣子呗……"

小枣树温和地说："你虽然不会结枣子，可是一到春天，你就发芽长叶，比我绿得早；到了秋天，你比我落叶晚。再说，你长得也比我快，等你长大了，人们在树阴下乘凉，那有多好啊！"

小柳树听了，不好意思地笑了。

rěn	bei	suī	chéng	sī
忍	呗	虽	乘	思

我会认

枣 浅 秃 忍 呗 虽 乘 思

我会写

怎	怎			思	思		
穿	穿			弯	弯		
比	比			服	服		
浅	浅			漂	漂		
啦	啦			啊	啊		

读一读 朗读课文。

读读抄抄 院子　树枝　浅绿色　又细又长

衣服　漂亮　怎么　弯弯曲曲

69

16 风娃娃

风娃娃长大了。风妈妈说："到田野里去吧，在那里，你可以帮人们做许多事。"

风娃娃来到田野，看见一架大风车正在慢慢转[zhuàn]动，抽上来的水断断续续地流着。他深深地吸了一口气，使劲向风车吹去。风车一下子转得飞快！抽上来的水奔跑着，向田里流去。秧苗喝足了水，笑着不住地点头，风娃娃也高兴极了。

风娃娃又来到河边，看见许多纤夫正拉

chōu	xù	xī	jí	qiàn	fū
抽	续	吸	极	纤	夫

着一艘船。他们弯着腰，流着汗，喊着号子，船却走得很慢。他急忙跑过去，对着船帆吹起来。船在水面上飞快地行驶。纤夫们笑了，一边收起纤绳，一边向风娃娃表示感谢。

　　风娃娃想：帮助人们做好事，真容易，只要有力气就行。

　　他这么想着，来到一个广场上。那里有几个孩子正在放风筝。风娃娃看见了，赶紧过去使劲吹风。风筝在空中摇摇摆摆，有的还翻起了跟头。

hàn　　shǐ　　shéng　　shì　　yì　　zhēng
汗　　驶　　绳　　示　　易　　筝

　　不一会儿,风筝被吹得无影无踪,孩子们伤心极了。

　　风娃娃却一点儿也不知道,他仍然东吹吹,西吹吹,吹跑了人们晒的衣服,折断了路边新栽的小树……人们都责怪他。

　　风娃娃听了,很伤心,心想:我帮人们做事,为什么他们还责怪我呢?

　　风娃娃,我知道人们为什么责怪你。

zōng	shāng	réng	zhé	zé
踪	伤	仍	折	责

我会认

抽 续 吸 极 夫 汗
驶 示 筝 踪 伤 责

我会写

夫	夫			表	表		
示	示			号	号		
汗	汗			伤	伤		
吸	吸			极	极		

读一读　朗读课文。

我会读　赶紧　　飞快　　深深地　　摇摇摆摆
　　　　伤心　　责怪　　不住地　　断断续续

17 酸的和甜的

葡萄架下，有一只狐狸。他一会儿转来转去，一会儿跳起来摘葡萄，可是一颗也没摘到。于是，他指着架上的葡萄，说："这葡萄是酸的，不能吃！"

树上的小松鼠听了，心里想：狐狸很聪明，他说葡萄不能吃，那一定是很酸的。

suān	pú	táo	hú	li
酸	葡	萄	狐	狸

本文根据李学中作品改写。

小松鼠把狐狸说的话告诉了小兔子。小兔子一听，心里想：狐狸和小松鼠都说葡萄是酸的，那一定不能吃！

这时，来了一只小猴子。他望望架上那一串串紫红色的葡萄，迫不及待地爬上葡萄架，摘下一串就要往嘴里送。小兔子连忙说："不能吃，不能吃，这葡萄是酸的！"

chuàn 串　pò 迫　dài 待

小猴子笑着问："你吃过吗？"小兔子摇摇头，说："我没吃过，可是小松鼠说葡萄很酸。"

小猴子又问小松鼠："你尝过吗？"小松鼠也摇摇头，说："我没敢尝，狐狸说这葡萄酸得很呢！"

小猴子听了，大口大口地吃起葡萄来。小松鼠和小兔子见他吃得这么开心，也尝了一颗。啊！真甜。

小松鼠和小兔子真不明白，狐狸为什么硬说葡萄是酸的呢？

ying
硬

我会认

酸 葡 萄 狐 狸 串 迫 待 硬

我会写

串	串			兔	兔		
告	告			诉	诉		
狐	狐			狸	狸		
猴	猴			颗	颗		

读读演演 朗读课文，再演一演。

读读比比 小猴子爬上葡萄架。

小猴子迫不及待地爬上葡萄架。

小猴子吃起葡萄来。

小猴子大口大口地吃起葡萄来。

语文园地四

chá pào　　　　　bǎo
有水把茶泡，有饭能吃饱。

有足快快跑，有手轻轻抱。

páo　　　　　biān pào
有衣穿长袍，有火放鞭炮。

"泡"字的左边跟字义有关，右边跟字音有关……

我会认

茶　泡　饱　袍　鞭　炮

日积月累

读读记记

一本正经　二话不说

三心二意　四面八方

五颜六色　六神无主

七嘴八舌　八仙过海

九牛一毛　十全十美

狐狸为什么说葡萄酸呢（？）

葫芦藤上挂着三个小葫芦（　）

爷爷买的枣儿真甜啊（　）

你喜欢小柳树还是喜欢小枣树（　）

我会写　看图写几句话。

<table>
<tr><td></td><td></td><td></td><td></td><td></td><td></td><td></td></tr>
<tr><td></td><td></td><td></td><td></td><td></td><td></td><td></td></tr>
<tr><td></td><td></td><td></td><td></td><td></td><td></td><td></td></tr>
</table>

骑　驴 (lú)

一位老爷爷和他的孙(sūn)子骑着一头小毛驴，到北村去找朋友。

刚出村子，迎面走来一个中年人。他自言自语地说："两个人骑一头小驴，快把驴压(yā)死(sǐ)了！"

老爷爷听了，立刻下来，让孙子一个人骑，自己在旁边走。

没走多远，一个老人看见了，摇摇头说："孙子骑驴，让爷爷走路，太不尊敬老人了！"

老爷爷连忙叫孙子下来，自己骑上去。

又走了不远，一个孩子看见了，很生气地说："没见过这样的爷爷，自己骑驴，让孙子跟在他后边跑。"

老爷爷赶紧下来，和孙子一同走。

他们来到北村，几个种菜的看见了，说："有驴不骑，多笨(bèn)哪！"

老爷爷摸摸脑袋，看看孙子，不知道怎么做才好。

应该听谁的

读了上面的短文，你觉得老爷爷应该听谁的？要是你遇到这种事，会怎样做？把自己的想法说出来，跟同学交流交流。想法一样的同学自由组(zǔ)合，按(àn)自己想的演(yǎn)一演。

展示台

这是我做的识字卡片。你的呢？咱们交流一下，好吗？

我讲个动脑筋的故事给你们听。

别人有困难，我们应该热情帮助。新世纪的小主人就应该友好相处[chǔ]，团结合作。

识字 5

人心齐，泰山移。

人多计谋广，
柴多火焰高。

一根筷子容易折，
一把筷子难折断。

树多成林不怕风，
线多搓绳挑千斤。

一花独放不是春，
百花齐放春满园。

yí	móu	chái	yàn	yì
移	谋	柴	焰	易

zhé	cuō	shéng	jīn	dú
折	搓	绳	斤	独

移 谋 柴 焰 易 折 搓 绳 斤 独

我会写

斤	斤			折	折		
挑	挑			根	根		
独	独			满	满		
容	容			易	易		

看看写写

yì huā dú fàng bú shì chūn

_____ ,

bǎi huā qí fàng chūn mǎn yuán

_____ 。

我们也去收集一些谚语吧!

18 称　赞

　　清晨，小刺猬去森林里采果子。

　　在小路边，他看见一只小獾在学做木工。小獾已经做成了三个小板凳。板凳做得很粗糙。但是看得出，他做得很认真。

　　小刺猬走到小獾身边，拿起板凳仔细地看了看。他对小獾说："你真能干，小板凳做得一个比一个好！"

刺　猬　獾　板　凳　糙　但
cì　wèi　huān　bǎn　dèng　cāo　dàn

本文根据张秋生作品改写。

"真的吗？"小獾高兴极了。

傍晚，小刺猬背着几个红红的大苹果，往家里走。

小獾见小刺猬来了，高兴地迎上去。他送给小刺猬一把椅子。小刺猬不好意思地说："我怎么能要你的椅子呢？我可没干什么呀！"

小獾拉着小刺猬的手，说："在我有点儿泄气的时候，是你称赞了我，让我有了自信。

bàng　　yǐ　　xiè
傍　　椅　　泄

瞧，我已经会做椅子了。这是我的一点儿心意，收下吧。"

小刺猬连忙从背上取下两个大苹果，对小獾说："留下吧，这也是我的一点儿心意！"

小獾接过苹果闻了闻，说："你的苹果香极了，我从来没有见过这么好的苹果。"

小刺猬也高兴极了，说："谢谢你，你的称赞消除了我一天的疲劳！"

qiáo
瞧

liú
留

我会认

刺 猬 板 凳 糙
但 傍 椅 瞧 留

采	采			背	背		
板	板			椅	椅		
但	但			傍	傍		
清	清			消	消		

读读演演　朗读课文，再演一演。

读读写写

闻了闻　　一个比一个好
瞧了瞧　　一棵比一棵壮

＿了＿　　一＿比一＿＿＿

＿了＿　　一＿比一＿＿＿

19 蓝色的树叶

　　美术课上，老师教[jiāo]同学们画风景，要画上树、房子和小山。李丽画好了近处的房子，远处的小山。她正要画树，可是绿铅笔找不到了。

　　李丽看看旁边的林园园，她已经把树画好了。树叶那么绿，真惹人爱。李丽小声对林园园说："把绿铅笔借给我用一用行吗？"林园园吞吞吐吐地说："我还没画完呢。"

　　李丽只好趴在桌子上看林园园画，等她都画完了，李丽说："现在可以把你的绿铅笔借给我了吧。"林

shù	qiān	rě	tǔ	zhuō
术	铅	惹	吐	桌

本文根据瓦·奥谢叶娃作品改写。

园园说："我怕你把笔尖弄断了。"李丽说："我小心一点儿。"

　　林园园从盒子里拿出绿铅笔，说："你要注意，不要削，画的时候不要用力，不要画得太多。"李丽连忙说："我只画树叶和小草。"林园园皱着眉头，说："还要画小草？"李丽看了看林园园，没有接她的绿铅笔。

　　李丽拿起自己的蓝铅笔，用心地画着一片片树叶。林园园看着这些蓝树叶，不由得脸红了。

　　我想对林园园说……

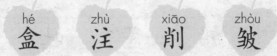

hé	zhù	xiāo	zhòu
盒	注	削	皱

术 铅 惹 吐 桌 盒 注 削 皱

我会写

由	由			术	术		
吐	吐			注	注		
课	课			铅	铅		
笔	笔			桌	桌		
景	景			拿	拿		

读一读　朗读课文。

读读说说　你把绿铅笔借给我用一用行吗?

_____吗?

现在可以把你的绿铅笔借给我了吧。

_____吧。

20 纸船和风筝

松鼠和小熊住在一座山上。松鼠住在山顶，小熊住在山脚。山上的小溪往下流，正好从小熊的家门口流过。

松鼠折了一只纸船，放在小溪里。纸船漂[piāo]呀漂，漂到小熊的家门口。

小熊拿起纸船一看，乐坏了。纸船里放着一个小松果，松果上挂着一张纸条，上面写着："祝你快乐！"

小熊也想折一只纸船送给松鼠，可是纸

huài
坏

92 本文根据刘保法作品改写。

船不能漂到山上去。怎么办呢？他想了想，就扎了一只风筝。风筝乘着风，飘呀飘，飘到了松鼠家门口。

松鼠一把抓住风筝的线一看，也乐坏了。风筝上挂着一个草莓，风筝的翅膀上写着："祝你幸福！"

纸船和风筝让他们俩成了好朋友。

可是有一天，他们俩为了一点小事吵了一架。山顶上再也看不到飘荡的风筝，小溪里再也看不到漂流的纸船了。

小熊很难过。他还是每天扎一只风筝，

zā	zhuā	méi	xìng	fú	chǎo
扎	抓	莓	幸	福	吵

但是不好意思把风筝放起来，就把风筝挂在高高的树枝上。

松鼠也很难过。他还是每天折一只纸船，他也不好意思把纸船放进小溪，就把纸船放到屋顶上。

过了几天，松鼠再也受不了啦。他在一只折好的纸船上写了一句话："如果你愿意和好，就放一只风筝吧！"他把这只纸船放进了小溪。

傍晚，松鼠看见一只美丽的风筝朝他飞来。松鼠高兴得哭了。他连忙爬上屋顶，取下纸船，把一只只纸船放到了小溪里。

shòu
受

我会认

坏 扎 抓 莓 幸 福 吵 受

我会写

坏	坏			松	松		
扎	扎			抓	抓		
祝	祝			福	福		
句	句			幸	幸		

读一读　有感情地朗读课文。

我会读

山顶　　山脚　　小溪　　风筝　　纸船

松果　　草莓　　纸条　　屋顶　　门口

幸福　　快乐　　愿意　　漂流　　飘荡

我要把这个故事讲给妈妈听。

95

21 从现在开始

　　狮子想找一个动物接替他做"万兽之王"。于是，他宣布："从现在开始，你们轮流当'万兽之王'，每个动物当一个星期。谁做得最好，谁就是森林里的新首领。"

　　第一个上任的是猫头鹰。他想到自己成了"万兽之王"，神气极了，立刻下令："从现

shǐ	shòu	zhī	lún
始	兽	之	轮

qī	dì	rèn	yīng
期	第	任	鹰

本文根据管家琪作品改写。

在开始，你们都要跟我一样，白天休息，夜里做事！"大家听了议论纷纷，可是又不得不服从命令，只好天天熬夜。一个星期下来，动物们都叫苦连天。

　　第二个星期，轮到袋鼠上任了。他激动地说："从现在开始，你们都要跳着走路！"听了袋鼠的话，大家直摇头。可是又不得不服从命令，只好苦练跳的本领。

　　第三个星期，轮到小猴子当"万兽之

áo
熬

王"。大家都非常担心：他会不会命令我们从现在开始，都得住在树上，成天抓着藤条荡来荡去？谁知，小猴子只说了一句话："从现在开始，每个动物都照自己习惯的方式过日子。"话音刚落，大伙儿立刻欢呼起来。

　　狮子见了，笑眯眯地说："不用再往下轮了。我郑重宣布，从现在开始，小猴子就是'万兽之王'了！"

guàn　　　shì　　　mī　　　zhèng
惯　　　式　　　眯　　　郑

之 轮 期 第 任 惯 式 眯 郑

我会写

之	之			令	令		
布	布			直	直		
当	当			第	第		
现	现			期	期		
轮	轮			路	路		

读一读　　朗读课文。

读读写写

神气极了	荡来荡去	立刻喊起来
可怕极了	跑来跑去	立刻欢呼起来
___极了	__来__去	立刻_____

99

语 文 园 地 五

钅　钢　铜　铁 (tiě)　钉 (dīng)

衤　被　裙 (qún)　裤 (kù)　袄 (ǎo)

疒　病　疼 (téng)　痛 (tòng)　疯 (fēng)

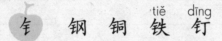

我一看到偏旁就知道字义了。

我会认

铁 钉 裙 裤 袄 疼 痛 疯

日积月累

我会填

一只（　　）　一个（　　）　一把（　　）

一块（　　）　一条（　　）　一盘（　　）

书桌　　板凳　　椅子　　棉被　　运动裤

本领　　习惯　　宣布　　称赞　　议论纷纷

自信　　容易　　粗糙　　疲劳　　吞吞吐吐

读读背背　　　走 山 路

早晨一片雾，

山里看不清路，

急坏了小猪、小鹿和小兔。

小兔领小猪，

小猪拉小鹿，

chě
扯着藤，

扶着树，

一步一步走山路。

pó
秋风婆婆来帮助，

呼——呼——

一下子吹散满天雾。

本文作者钱德慈。　　　　　　　101

合 作

你一定与别人合作做成过事情，选一件(jiàn)讲给同学听。听的人可以插(chā)话，可以提问题。再评一评哪件事做得好，谁讲得清楚(chǔ)、明白。

展 示 台

词语擂台

我提议分组说有关团结合作的词语，比比哪组说得多。

我找了一些谚语，说给大家听。

如果我有一枝神笔，我会画很多东西给需(xū)要的人。只要人人献出一点爱，世界就会变得更美好。

识字 6

美对丑，
爱对恨。
真诚对虚假，
冷漠对热忱。
雪中送炭见真情，
助人为乐献爱心。

贫对富，
冷对暖。

hèn mò chén tàn pín fù
恨　漠　忱　炭　贫　富

饥寒对温饱，
索取对奉献。
人人献出一点爱，
人间永远是春天。

饥 jī
索 suǒ
奉 fèng
永 yǒng

我会认

恨 漠 炭 贫 富 饥 索 奉 永

我会写

丑	丑			永	永		
饥	饥			饱	饱		
温	温			暖	暖		
贫	贫			富	富		

我会读

冷漠　虚假　索取　奉献　助人为乐

人间　真诚　爱心　永远　雪中送炭

22 　窗前的气球

　　科利亚病了，住进了医院。他得的是传染病，医院规定，谁也不准来看他，他也不能到病房外面去。

　　科利亚静静地躺在病床上，呆呆地望着窗户。从三楼能望到什么呢？除了对面的楼房和一角天空以外，什么也看不见。他觉得真没意思。

　　突然，一个红气球摇摇摆摆地飘了上

kē　　　　yà　　　　dāi
科　　　亚　　　呆

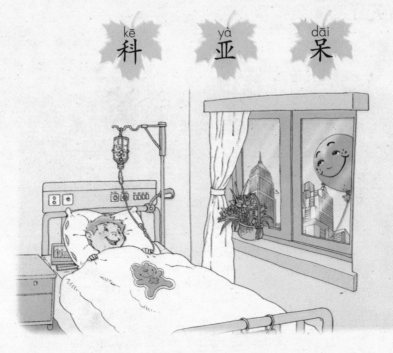

来，在科利亚房间的窗户前停住了。气球停了一会儿，开始一上一下地动起来，这是怎么回事？

科利亚仔细一看，气球上画着一张可爱的小脸。这下他猜出来了，准是米沙想的招儿。科利亚的心情一下子好了许多。他好像看见米沙拉动拴着气球的绳子，几个同学站在四周，叽叽喳喳地指手画脚。

窗前的气球，代表同学们来问候科利亚。科利亚望着窗外那张逗人的"小脸"，高兴地笑了。

shǐ
始

cāi
猜

shuān
拴

jī
叽

zhā
喳

dòu
逗

科 亚 呆 始 猜 拴 逗

我会写

户	户			亚	亚		
角	角			周	周		
床	床			病	病		
始	始			张	张		

读一读　　朗读课文。

读读写写

气球上画着一张可爱的小脸。

可爱的：＿＿＿＿＿＿＿＿

科利亚望着窗外高兴地笑了。

高兴地：＿＿＿＿＿＿＿＿

23 假 如

假如我有一枝
马良的神笔，
我要给窗前的小树
画一个红红的太阳。
让小树在冬天
也能快活地成长，
不会在寒冷的北风里
缩着身子，轻轻叹息。

假如我有一枝
马良的神笔，
我要给树上的小鸟
画许多好吃的谷粒。

liáng
良

suō
缩

本文根据白冰作品改写。

鸟妈妈再也不用
到遥远的地方去寻食，
让小鸟呆在家里
苦苦等待，饿得哭泣。

假如我有一枝
马良的神笔，
我一定给不幸的朋友西西
画一双好腿，
还[huán]他一个健康的身体。
他再也不会只坐在屋里
望着窗外的小树和飞燕，
而是和我们一起
在操场上奔跑，在草地上游戏。

假如我有一枝
马良的神笔……

yáo	xún	shí	qì	jiàn	kāng	cāo
遥	寻	食	泣	健	康	操

良 缩 遥 寻 食 泣 健 康 操

寻	寻			哭	哭	
良	良			食	食	
双	双			体	体	
操	操			场	场	

有感情地朗读课文。背诵课文。

我要给窗前的小树画一个红红的太阳。

我要给树上的小鸟画许多好吃的谷粒。

我要给＿＿＿＿＿＿＿＿＿＿＿＿。

24 日记两则

6月1日　星期五　阴

昨天晚上，我做了个梦。梦见我穿上了摆在商店橱窗里的那条裙子。那是一条镶着花边的白纱裙。我穿着它走进学校，同学们都投来羡慕的眼光。今天是我的节日，妈妈一定会给我买那条裙子。

妈妈下班了，手里提着一大包东西。我迫不及待地打开包，里面有两条粉红色的布料连衣裙，两个红书包，两套《少年儿童百科全书》，就是没有我心爱的裙子。

妈妈把礼物分成两份，给我一份，留下一份，说那一份是给阿英妹妹的。

zé	zuó	xiāng	shā	xiàn	mù
则	昨	镶	纱	羡	慕

fěn	liào	tào	fèn	mèi
粉	料	套	份	妹

本文作者袁晓峰。

阿英妹妹是谁？她在哪里？妈妈明明知道我喜欢那条裙子，却不给我买，妈妈真小气！

7月20日　星期日　晴

阿英妹妹昨天到我家来了。

阿英是个苗家小姑娘，家住贵州山区。她告诉我，是妈妈一直寄钱帮助她读书，要不，她早就失学了。她还说，她穿的衣服和

gui　　ji
贵　　寄

来我家的路费，也是我妈妈寄去的。阿英很勤快，总是帮妈妈干活，她很好[hào]学，不是看书就是问问题。

昨天晚上，我又做了个梦，梦见妈妈带我去买那条裙子。我没让妈妈买。我说把钱省下来，可以买好多书。在梦里我和阿英一起去了苗家山寨，看到了许多苗家小姑娘。我从书包里拿出书送给她们，她们高兴得围着我跳起舞来。

fèi
费

zhài
寨

我会认

则 昨 纱 羡 慕 粉 料
套 份 妹 贵 寄 费

我会写

份	份			粉	粉		
昨	昨			晴	晴		
姑	姑			娘	娘		
妹	妹			读	读		

读一读　朗读课文。

看看写写

zuó tiān　　mèi mei　　xué xiào　　shū bāo
(　　　　)　(　　　　)　(　　　　)　(　　　　)

bāng zhù　　dú shū　　shào nián ér tóng
(　　　　)　(　　　　)　(　　　　　　　)

我想从今天起开始写日记。

114

25 古诗两首

回乡偶书

贺知章

少小离家老大回，
乡音无改鬓毛衰。
儿童相见不相识，
笑问客从何处来。

ǒu 偶　　bìn 鬓　　shuāi 衰　　kè 客　　hé 何

115

赠汪伦

李 白

李白乘舟将欲行，
忽闻岸上踏歌声。
桃花潭水深千尺，
不及汪伦送我情。

zèng	wāng	lún	zhōu	yù	tà	tán
赠	汪	伦	舟	欲	踏	潭

客 何 赠 汪 舟 欲 踏 潭

 我会写

舟	舟			乘	乘		
音	音			客	客		
何	何			汪	汪		

 读读背背　朗读课文。背诵课文。

 我会填

儿	童						，
							。

	潭	深			，
	汪	伦			。

语文园地六

lì
历（日历）

shàn
扇（电扇）

gòng
贡（贡献）

què
确（正确）

kěn
肯（肯定）

chóu
愁（发愁）

我发现"历"是由两个认识的字组成的。

我会认

历 贡 肯 扇 确 愁

我会填

dōu
我们大家（　）喜欢打雪仗。

dū
我和爸爸爬上了天（　）峰。

我发现要填的字……

日积月累

读读记记

健康的身体　　羡慕的眼光
寒冷的北风　　遥远的地方
心爱的裙子　　火红的太阳

我会填

我在操场上捡到一枝钢笔（。）
阿英是苗族小姑娘（　）
李华今天怎么没来上课（　）
我多想有一枝马良的神笔呀（　）

我会读

谁和谁好

谁和谁好？
藤和瓜好，
它们手拉手，
不吵也不闹。

谁 和 谁 好？
　　mì
蜜 蜂 和 花 好，
蜜 蜂 来 采 蜜，
　yǎng
花 儿 仰 脸 笑。

谁 和 谁 好？
白 云 和 风 好，
　　　　guā
风 往 哪 里 刮，
云 往 哪 里 跑。

谁 和 谁 好？
我 和 同 学 好，
大 家 唱 着 歌，
一 起 上 学 校。

我想这样做

如果我们遇到需(xū)要帮助的残疾(jí)人,我们应该说些什么,做些什么?把自己的想法说给同学听,大家评一评,哪些同学的想法好。

展 示 台

我会唱《爱的奉献》这首歌。

我也会唱。歌词中的字,我都认识。

这是我写的日记。

蓝天、白云、高山、河流，大自然就像一幅(fú)幅美丽的图画。我们会用自己的双手，把图画画得更美！

识字 7

你拍一，我拍一，
保护动物要牢记。

你拍二，我拍二，
孔雀锦鸡是伙伴。

hù	láo	kǒng	què	jǐn
护	牢	孔	雀	锦

你拍三，我拍三，
雄鹰翱翔在蓝天。

你拍四，我拍四，
天空雁群会写字。

你拍五，我拍五，
丛林深处有老虎。

你拍六，我拍六，
黄鹂百灵唱不休。

你拍七，我拍七，
竹林熊猫在嬉戏。

yīng	áo	xiáng	cóng	lí	líng	xī
鹰	翱	翔	丛	鹂	灵	嬉

你拍八，我拍八，
大小动物都有家。

你拍九，我拍九，
人和动物是朋友。

你拍十，我拍十，
保护动物是大事。

护 牢 孔 雀 锦 鹰 丛 鹂 灵 嬉

我会写

丛	丛			牢	牢		
拍	拍			护	护		
保	保			物	物		
鸡	鸡			猫	猫		

我会填

从（从前）　户（　　）　已（　　）

丛（　　）　护（　　）　记（　　）

我还会说讲卫生的拍手歌呢！

我想自己编拍手歌，编好了说给你们听。

125

26 "红领巾"真好

清晨，林中谁最快乐？
是可爱的小鸟，
叽叽喳喳，蹦蹦跳跳，
一会儿唱歌，一会儿梳理蓬松的羽毛。

清晨，林中谁最活跃？
是机灵的小鸟，

jī　　zhā　　péng　　yuè
叽　　喳　　蓬　　跃

扑棱棱，飞来飞去，
捕捉害虫，保护翠绿的树苗。

清晨，林中谁来得最早？
是"红领巾"来放鸟巢。
崭新的木牌上写着："请爱护小鸟！"
小鸟在枝头高唱："'红领巾'真好！"

léng　棱　　cháo　巢　　zhǎn　崭　　pái　牌

我会认

叽 喳 蓬 跃 棱 巢 崭 牌

我会写

羽	羽			领	领		
捉	捉			理	理		
跃	跃			蹦	蹦		
灵	灵			晨	晨		

读读背背　朗读课文。背诵课文。

我会填

机灵的（　　　）　　翠绿的（　　　）

蓬松的（　　　）　　快乐的（　　　）

除了爱护小鸟，我们还
应该爱护哪些小动物呢？

27 清澈的湖水

　　一只游船在湖面上行驶，船头两侧卷起白色的浪花，船尾拖着一条长长的波纹。

　　小洁穿着红色上衣坐在船头。她一边吃面包，一边欣赏两岸的风景。看，那边的山石像一只正要跳起的青蛙,这边的山石像一只展翅欲飞的雄鹰，半山腰的石兔、石龟，好像正在赛跑呢。

chè	cè	juǎn	wén	xīn	shǎng	guī
澈	侧	卷	纹	欣	赏	龟

本文根据望安作品改写。

小洁看得入了神。她吃完面包，刚想把面包纸丢进水里，却被湖里美丽的景象吸引住了。湖水像一面镜子，映出了蓝天、白云，还有变幻的山峦。她觉得自己像在天上飞，又像在水里游。

小洁紧紧攥着面包纸，生怕它掉进湖里。哟，清澈的湖水里有许多小鱼在游。一条银白色的小鱼跃出水面，又在浪花中消失，好像在给游人表演呢！突然，一个小孩把香蕉皮扔向小鱼。小鱼吓跑了，湖水变得满是皱纹，美丽的景象不见了。小洁回过头不满地看了他一眼，又用企盼的目光望着湖水。

船靠岸了，小洁手里还是紧紧地攥着面包纸。她跨步上岸，四处张望，好像在寻找什么。忽然，她眼睛一亮，飞快地向前跑去。

jìng	yìng	huàn	luán	zuàn	yō
镜	映	幻	峦	攥	哟

yǎn	jiāo	rēng	qǐ	kuà
演	蕉	扔	企	跨

我会认

侧 卷 欣 赏 龟 镜
映 幻 演 蕉 扔 跨

我会写

失	失			觉	觉		
扔	扔			掉	掉		
眼	眼			睛	睛		
纸	纸			船	船		

读读背背 朗读课文。背诵自己喜欢的部分。

读读说说 湖水像一面镜子。

山石像一只正要跳起的青蛙。

_____ 像 _____。

28　浅水洼里的小鱼

　　清晨，我来到海边散步。走着走着，我发现在沙滩的浅水洼里，有许多小鱼。它们被困在水洼里，回不了大海了。被困的小鱼，也许有几百条，甚至有几千条。用不了多久，浅水洼里的水就会被沙粒吸干，被太阳蒸干。这些小鱼都会干死。

　　我继续朝前走着，忽然看见前面有一个小男孩。他走得很慢，不停地在每个水洼前弯下腰去，捡起里面的小鱼，用力地把它们扔回大海。

　　看了一会儿，我忍不住走过去对小男孩说："水洼里有成百上千条小鱼，你是捡不完的。"

　　"我知道。"小男孩头也不抬地回答。

shèn　　zhì　　zhēng　　sǐ　　jì

甚　　至　　蒸　　死　　继

　本文根据田辉译写的作品改写。

"那你为什么还在捡？谁在乎呢？"

"这条小鱼在乎！"男孩一边回答，一边捡起一条鱼扔进大海。他不停地捡鱼扔鱼，不停地叨念着："这条在乎，这条也在乎！还有这一条、这一条、这一条……"

看到小动物受伤了，你在乎吗？你会怎么做呢？

hū

乎

dāo

叨

我会认

甚 至 蒸 死 继 乎 叨

我会写

久	久			乎	乎		
至	至			死	死		
腰	腰			捡	捡		
粒	粒			被	被		

读一读

朗读课文。

想想说说

你说：一只小鸟受了伤，落在窗台上。

我说：＿＿＿＿＿＿＿＿＿＿＿＿＿＿＿。

你说：一只野兔受了伤，躺在大树旁。

我说：＿＿＿＿＿＿＿＿＿＿＿＿＿＿＿。

29　父亲和鸟

父亲一生最喜欢树林，还有爱唱歌的鸟。

童年的时候，一天清晨，父亲带着我从一片树林边走过。

父亲突然站定，朝雾蒙蒙的树林，上上下下地望了又望，用鼻子闻了又闻。他喃喃地说："林子里有不少鸟。"

我并没有看见一只鸟飞，也没有听到一声鸟叫。

父亲指着一根树枝对我说："看那里，没有风，叶子为什么在动？嗯，还有鸟味。"父亲的话音很轻，生怕惊动了鸟。

我只闻到浓浓的草木气味，没有闻到鸟的气味。

"鸟也有气味？"

méng	nán	ng	wèi	nóng
蒙	喃	嗯	味	浓

本文根据牛汉作品改写。

　　"有。在树林里过夜的鸟总是一群一群的，羽毛焐得热腾腾的。"

　　父亲又说："听，鸟要唱歌了。"

　　我们刚坐下，鸟就唱了起来。

　　父亲说："这是树林和鸟最快活的时刻。"

wù
焐

téng
腾

我知道父亲这时也最快活。

父亲又对我说："在鸟最快活的时刻，在鸟飞离树枝的那一瞬间，最容易被猎人打中[zhòng]。"

我奇怪地问："为什么？"

父亲说："黎明时的鸟，翅膀潮湿，飞起来重。"

我真高兴，父亲不是猎人。

shùn
瞬

liè
猎

lí
黎

蒙 喃 味 浓 腾 猎 黎

并	并			夜	夜		
喜	喜			重	重		
味	味			轻	轻		
刻	刻			群	群		

读一读　朗读课文。

我会读

父亲　　猎人　　黎明　　雾蒙蒙
惊动　　快活　　容易　　热腾腾
气味　　潮湿　　时刻　　浓浓的

我能用"快活"说句子。

语文园地七

我的发现

汉字真有趣，分分合合可以变出很多字。我从下面图里看出了"立、古……"。

日积月累

我会接

父亲 → 亲人 → 人生 →

看见 →

读读说说

太阳会把浅水洼里的水蒸干。

浅水洼里的水会被太阳蒸干。

他把小鱼扔进大海里。

____被 _____。

小 花 鹿

从一片美丽的森林里，
走出一只淘(táo)气的小花鹿。
它的两个小犄(jī)角，
好像两棵小松树。

"小树"摇一摇，
小鹿走一步；
"小树"摇两摇，
小鹿走两步。

活泼的小山羊，
告诉蹦蹦跳跳的小白兔：
"快看，快看，
快看会走路的小松树！"

儿歌根据金波作品改写。

保护有益的小动物

说说哪些小动物对人类(lèi)有益，怎么有益。讨(tǎo)论讨论，我们应该怎样保护它们。

我把自己编的拍手歌，说给大家听。

我写了几句顺口溜，提醒大家不要乱扔垃圾。

我们俩做了一个鸟巢，准备放到树林里去。

我们有问不完的为什么，要弄懂这些为什么，就要爱科学，学科学。

识字 8

一

后羿射日	人造卫星
精卫填海	航空母舰
嫦娥奔[bèn]月	宇宙飞船
女娲补天	运载火箭

yì 羿　shè 射　wèi 卫　tián 填　cháng 嫦　é 娥

wā 娲　yǔ 宇　zhòu 宙　zài 载　jiàn 箭

我会认

射 卫 填 嫦 娥 宇 宙 载 箭

我会写

卫	卫			运	运		
宇	宇			宙	宙		
航	航			舰	舰		

我会读

嫦娥奔月是神话故事，女娲补天也是神话故事。

人造卫星能飞上太空，宇宙飞船也能飞上太空。

我看过"后羿射日"的连环画，现在给大家讲讲这个故事。

30 我是什么

　　我会变。太阳一晒，我就变成汽。升到天空，我又变成无数极小极小的点儿，连成一片，在空中飘浮。有时候我穿着白衣服，有时候我穿着黑衣服，早晨和傍晚我又把红袍披在身上。人们管我叫"云"。

　　我在空中飘浮着，碰到冷风，就变成水

fú　　　　　pèng
浮　　　　　碰

珠落下来。人们就管我叫"雨"。有时候我变成小硬球打下来，人们就管我叫"雹子"。到了冬天，我变成小花朵飘下来，人们又管我叫"雪"。

平常我在池子里睡觉，在小溪里散步，在江河里奔跑，在海洋里跳舞，唱歌，开大会。

báo

雹

　　有时候我很温和，有时候我很暴躁。我做过许多好事，灌溉田地，发动机器，帮助人们工作。我也做过许多坏事，淹没[mò]庄稼，冲毁房屋，给人们带来灾害。人们想出种种办法管住我，让我光做好事，不做坏事。

　　小朋友，你们猜猜，我是什么？

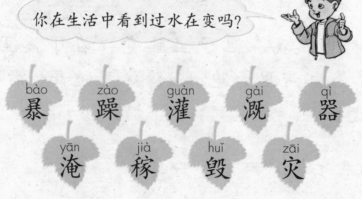

你在生活中看到过水在变吗？

bào	zào	guàn	gài	qì
暴	躁	灌	溉	器

yān	jià	huǐ	zāi
淹	稼	毁	灾

我会认

浮 雹 暴 躁 灌 溉
器 淹 稼 毁 灾

我会写

冲	冲			晒	晒		
池	池			浮	浮		
灾	灾			害	害		
黑	黑			器	器		

读读背背　朗读课文。背诵自己喜欢的部分。

我会读

飘浮　　灌溉　　灾害

机器　　电器　　乐器

冲毁　　毁坏　　毁灭

暴躁　　风暴　　暴风雪

31 回　声

　　小河上有座石桥。半圆的桥洞和水里的倒影连起来，好像一个大月亮。

　　小青蛙跟着妈妈游到桥洞底下，看到周围美丽的景色，高兴得叫起来："呱呱呱，多好看哪！"这时，不知哪儿有一只小青蛙也在叫："呱呱呱，多好看哪！"小青蛙问："你

guā
呱

是谁？你在哪儿？"那只看不见的小青蛙也在问："你是谁？你在哪儿？"

　　小青蛙奇怪极了，他问妈妈："桥洞里藏着一只小青蛙吧？他在学我说话哩。"妈妈笑着说："孩子，跟我来！"

　　青蛙妈妈带着小青蛙跳到岸上。她捡

哩

起一颗石子，扔进河里，河水被激起一圈圈波纹。波纹碰到河岸，又一圈圈地荡回来。

青蛙妈妈说："孩子，你的叫声就像这水的波纹。水的波纹碰到河岸又荡回来。你在桥洞里叫，声音的波纹碰到桥洞的石壁，也要返回来。这样，你就听到自己的声音啦。"小青蛙高兴得一蹦老高，说："妈妈，我明白了，这就是回声吧？"妈妈笑着点点头。

小青蛙又游回桥洞里，呱呱地叫个不停。桥洞里立刻响起一片呱呱的回声。小青蛙欢快地说："多好玩啊！"

你听到过回声吗？是在哪儿听到的？

quān
圈

wén
纹

pèng
碰

fǎn
返

我会认

呱 哩 圈 纹 碰 返

我会写

岸	岸			纹	纹		
洞	洞			影	影		
倒	倒			游	游		
圆	圆			围	围		

读一读   有感情地朗读课文。

读读抄抄   小河上有座石桥。

_____

青蛙妈妈带着小青蛙跳到岸上。

_____

小青蛙欢快地说："多好玩啊！"

_____

32 太空生活趣事多

你知道宇航员在太空中怎样生活吗？说起来还挺有趣呢。

在宇宙飞船里，站着睡觉和躺着睡觉一样舒服。不过，要想睡上一个安稳觉，宇航员必须把自己绑在睡袋里。不然，翻一个身，就会飘到别处去了。

喝水的时候，如果用普通的杯子，即使把杯子倒过来，水也不会往下流。因为在宇宙飞船里，水失去了重量。宇航员要想喝到水，得使用一种带吸管的塑料杯。

在宇宙飞船里走路更有趣。人稍一使劲就会飘到半空中，咳嗽一声就有可能后退好几步。为了能平稳地走路，宇航员都穿鞋

tǐng 挺　　shū 舒　　bì 必　　xū 须　　bǎng 绑　　tōng 通

bēi 杯　　sù 塑　　shāo 稍　　ké 咳　　sòu 嗽

152

底带钩的鞋子，好牢牢地钩住带网格的地板。

在宇宙飞船里洗澡可不是件容易事，从喷头喷出的水总是飘浮在空中。为了解决这个难题，科学家设计了一种特殊的淋浴器，它可以把喷出来的水朝一个方向吸。

你看，在太空中生活，是不是很有趣？

gōu	jiàn	pēn	shè	shū	yù
钩	件	喷	设	殊	浴

我会认

舒 必 须 绑 通 杯 塑
咳 嗽 钩 件 喷 设 浴

我会写

杯	杯			件	件		
住	住			须	须		
能	能			飘	飘		
必	必			事	事		

读一读

朗读课文。

读读说说

必　必定 ＿＿＿　　钩　衣钩 ＿＿＿

通　通道 ＿＿＿　　喷　喷射 ＿＿＿

太空生活太有趣了！
我还想多了解一些。

咱们去图书馆，看看有
没有介绍宇航员生活的书。

33 活化石

在博物馆里，我们观看一块块化石，就能看到亿万年前的动物、植物。那么，你看过活的化石吗？

银杏树，又叫白果树，它是几亿年前的树种，十分珍贵。银杏树的样子很容易辨认，一片片叶子像一把把小扇子。银杏树长得慢极了，如果你小时候种下一棵银杏树，一直要等你当上爷爷，才能吃上它的果子。所以，银杏树又叫公孙树。

大熊猫是我们熟悉的动物，非常可爱。和它在同一时期生活过的动物，许多早就灭绝了，大熊猫却一代一代地活到了今天。我们都知道大熊猫爱吃竹子，你能想到吗，它的祖先却以食肉为生。

bó	zhēn	sūn	xī	jué	ròu
博	珍	孙	悉	绝	肉

中华鲟也是一种古生物，它有一亿多年的历史。中华鲟生活在江河里，最大的可以长到五百千克重。它身上披着大片的硬鳞，核桃大的眼睛亮晶晶的，一张大嘴又尖又长，样子怪怪的。由于以前缺乏保护，目前，中华鲟已成为稀有鱼种了。

银杏树、大熊猫、中华鲟，科学家把它们叫做"活化石"，我们要好好保护它们。

xún	shǐ	lín	hé	quē	fá	xī
鲟	史	鳞	核	缺	乏	稀

博 珍 孙 悉 绝 肉
史 核 缺 乏 稀

我会写

历	历			史	史		
灭	灭			克	克		
化	化			代	代		
孙	孙			植	植		

读一读　朗读课文。

读读写写

一片片叶子　　一把把扇子

一块块____　　一条条____

一棵棵____　　一只只____

我想建议老师带咱们去参观自然博物馆。

157

34 农业的变化真大

星期六，我兴致勃勃地来到展览馆，观看农业科技成就展。

袁隆平爷爷的贡献最引人注目。讲解员阿姨介绍说，他培育出的杂交水稻良种，大大提高了水稻产量。我们用世界上百分之七的耕地，养活了全世界百分之二十二以上的人口，袁爷爷立了大功。

nóng	zhì	bó	jì	yuán	lóng
农	致	勃	技	袁	隆

jiè	shào	péi	yù	chǎn	gēng
介	绍	培	育	产	耕

　　我还看到一个大棚模型。这种大棚能准确控制温度、湿度和光照，在寒冷的冬季也能让百花盛开，瓜果飘香。

　　彩色棉花的介绍引起了我的好奇。这种棉花在吐絮时就有红、黄、绿等不同颜色，棉纺厂可以直接用它纺出五彩线，织出五彩布。

péng	xíng	kòng	zhì	xù
棚	型	控	制	絮

　　无土栽培的技术也很了不起。科技人员把各种养分[fèn]溶解在水里，不用泥土，植物靠着这样的水，也能长得十分茁壮。

　　回家的路上，我不禁想：有了先进的科学技术，农业的变化真大！

我会认

农 技 袁 隆 介 绍 培
育 产 棚 控 制 泥 茁

我会写

厂	厂			产	产		
介	介			农	农		
科	科			技	技		
纺	纺			织	织		

读一读

朗读课文。

读读记记

兴致勃勃　　引人注目　　科学技术
百花盛开　　瓜果飘香　　十分茁壮

语文园地八

呀 蚜 鸦 芽

líng líng líng
铃 玲 岭 龄 领 零

披 破 坡 被

huái wéi
堆 推 准 难 淮 维

我发现许多汉字
都有……

看看说说

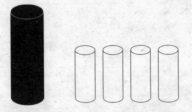

看了这幅图，我
能说出很多反义词。

日积月累

读读记记

各种各样　　金光闪闪　　秀丽神奇

四海为家　　无影无踪　　川流不息

迫不及待　　叫苦连天　　自言自语

我会选

飘　浮　　　　　飘　扬

云在空中（　　），碰到冷风就变成水

珠落下来。

彩旗迎风（　　），广场显(xiǎn)得更加

美丽。

我会写

我想写几句心里话。

聪明的韩(hán)愈(yù)

从前，有位教书先生，他给学生出了一道题：看谁用不多的钱买一件东西，能把书房装满。

学生人人动脑，认真思考(kǎo)。放学后，他们都到集市上去了。

第二天，有的买来了稻草，有的买来了树苗……可是谁的东西都没把屋子装满。

一个叫韩愈的学生走进书房，从袖(xiù)子里取出一支蜡(là)烛(zhú)，把它点燃。烛光立刻照亮了整个屋子。先生见了，高兴地连声说："好！好！韩愈真聪明！"

有趣的动物、植物

你喜欢动物、植物吗？把你看到或(huò)了解到的有趣的动物、植物，讲给同学听。听了以后有什么想法，大家交流交流。再评一评谁讲的内(nèi)容有趣，谁说得好。

展示台

这是我这学期写的日记。

我查到了中华鲟的资料。

我在自然博物馆看到了……

1 四季的脚步

春天的脚步悄悄，
悄悄地，她笑着走来——
溪水唱起了歌儿
——丁冬，丁冬，
绿草和鲜花赶来报到。

夏天的脚步悄悄，
悄悄地，她笑着走来——
金蝉唱起了歌儿
——知了，知了，
给世界带来欢笑。

秋天的脚步悄悄，
悄悄地，她笑着走来——
落叶唱起了歌儿

——刷(shuā)刷，刷刷，
铺成一条条金色的小道。

冬天的脚步悄悄，
悄悄地，她笑着走来——
北风唱起了歌儿
——呼呼，呼呼，
雪花在欢快地舞蹈。

2 秋 天

　　天那么高，那么蓝。高高的蓝天上飘着几朵白云。

　　蓝天下是一眼望不到边的稻田。稻子熟了，黄澄(dèng)澄的，像铺了一地金子。

　　稻田旁边有个池塘。池塘的边上有棵梧(wú)桐(tóng)树。一片一片的黄叶从树上落下来。有的落到水里，小鱼游过去，藏在底下，把它当[dàng]做伞。有的落在岸边，蚂蚁爬上去，来回跑着，把它当做运动场。

　　稻田那边飞来两只燕子，看见树叶往下落，一边飞一边叫，好像在说："电报来了，催(cuī)我们赶快到南方去呢！"

3 三只白鹤(hè)

　　一天中午，三只白鹤在河里捉到了许多鱼。他们吃得饱饱的，把剩(shèng)下的一条大鱼埋在地里，留着明天吃。

　　第一只白鹤抬头看了看太阳，记住大鱼埋在太阳底下。第二只白鹤抬头看了看天空，记住大鱼埋在白云下面。第三只白鹤看了看河边的大柳树，记住大鱼埋在柳树旁边。

　　第二天，太阳刚刚升起，三只白鹤都睡醒了。第一只白鹤朝太阳飞去。第二只白鹤朝白云飞去。第三只白鹤飞到河边，落在大柳树旁边。

　　哪只白鹤能找到埋在地里的大鱼呢？

4 小鸟和牵牛花

院子里的榆(yú)树上有一个鸟窝(wō)，鸟窝里住着一只小鸟，小鸟每天飞下树来，跟小花、小草一起玩儿。

有一天，小鸟病了，躺在窝里，一动也不能动。他想，要是能跟小花一起唱个歌，跟小草一起跳个舞，该有多好啊！可是他病了，一点儿力气也没有，怎么能飞下树来呢？

小鸟费了好大的劲，从窝里伸出头来，对榆树下面的凤(fèng)仙花说："凤仙花姐姐，我病了，请你上来，跟我玩一会儿，好吗？"凤仙花听了，红着脸，说："真对不起，我长在地上，不会爬树也不会飞，怎么能上你那儿玩儿呀！"

小鸟又对榆树下面的小草说："小草弟弟，我病了，请你上来，跟我说一会儿话，好吗？"小草听见了，不好意思地说："真对不起！我长在地上，没有翅膀没有脚，没法去陪(péi)你说话呀！"

这时，牵牛花在一旁说话了："凤仙花姐姐，小草弟弟，你们别发愁。我去陪陪小鸟。"

牵牛花把自已的蔓(wàn)儿缠(chán)在榆树上，使劲爬呀，爬呀。这一天，天刚蒙[mēng]蒙亮，他终(zhōng)于爬到了鸟窝旁。"嗒(dā)嘀(dí)嗒，嗒嘀嗒"，牵牛花吹起了小喇(lǎ)叭(bā)。

小鸟醒来了。他睁开眼睛一看，牵牛花正在他身边，冲[chòng]着他吹喇叭呢！小鸟心里一高兴，病就好多了。

牵牛花看见小鸟高兴的样子，举起一个个小喇叭，吹得更带劲了："嗒嘀嗒，嗒嘀嗒……"

5　鸡妈妈的新房子

　　鸡妈妈的新房子造好了, 既(jì)漂亮又牢固(gù)。

　　鹅大哥说:"房子造得不错, 如果在墙上开个窗就更好了。"鸡妈妈听了, 很不高兴。

　　夏天到了, 鸡妈妈的房子里又闷又热。鸡娃娃都生病了, 鸡妈妈这才想到鹅大哥的

本文根据钱欣葆作品改写。

建议，她赶紧在墙上开了个窗。清新的空气进来了，屋里凉快多了，鸡娃娃的病也慢慢好了。鸡妈妈很高兴，她想，以后一定要多听别人的意见。

狐狸对鸡妈妈说："你家的窗子再开大一点儿就更好了。"

鸡妈妈听了狐狸的话，就把窗子开得大大的。

一天，鸡妈妈从外面回到家，发现少了一只鸡娃娃，她到处找也没找到。忽然，她在窗台上发现了狐狸的脚印(yìn)。鸡妈妈一下子明白了，自己上了狐狸的当[dàng]。原来，不是谁的意见都得听。她赶紧把窗子改小。从此(cǐ)，鸡娃娃再也没少过。

6 骆(luò)驼(tuó)和羊

骆驼长得高，羊长得矮。骆驼说："长得高好。"羊说："不对，长得矮才好呢。"骆驼说："我可以做一件事情，证(zhèng)明高比矮好。"羊说："我也可以做一件事情，证明矮比高好。"

他们俩走到一个园子旁边。园子四面有围墙，里面种了很多树，茂(mào)盛的枝叶伸出墙外来。骆驼一抬头就吃到了树叶。羊抬起前腿，扒(bā)在墙上，脖子伸得老长，还

是吃不着。骆驼说："你看，这可以证明了吧，高比矮好。"羊摇了摇头，不肯认输(shū)。

　　他们俩又走了几步，看见围墙上有个又窄(zhǎi)又矮的门。羊大模[mú]大样地走进门去吃园子里的草。骆驼跪(guì)下前腿，低下头，往门里钻(zuān)，怎么也钻不进去。羊说："你看，这可以证明了吧，矮比高好。"骆驼摇了摇头，也不肯认输。

　　他们俩找老牛评理。老牛说："你们俩都只看到自己的长处，看不到自己的短处，这是不对的。"

生字表（一）

识字1　宜 层 尽 染 叠 翠 爽　壮 谷 登
yí céng jìn rǎn dié cuì shuǎng zhuàng gǔ dēng

华
huá

1　图 梨 笼 浪 梁 燃 勤 劳
tú lí lóng làng liáng rán qín láo

2　区 尤 其 仙 盘 峰 胳 膊 巨 当
qū yóu qí xiān pán fēng gē bó jù dāng

脖 著 形 状
bó zhù xíng zhuàng

3　旅 蒲 降 娃 纷 苍 洼 啪 炸 蹦
lǚ pú jiàng wá fēn cāng wā pā zhà bèng

察 识
chá shí

4　刘 菊 残 君 橙 橘 径 斜 枫 于
liú jú cán jūn chéng jú jìng xié fēng yú

语文园地一　交 支 龙 求 凡 利
jiāo zhī lóng qiú fán lì

qí tán gāng qín hú xì wèi gē yǎng háng
棋 弹 钢 琴 胡 戏 喂 鸽 养 航

mó
模

5
zhū diǎn yuàn chú pí juàn qiān kùn
株 踮 院 除 疲 倦 牵 困

6
wěi bǔ shì níng lèng qiè jí zhǎng
委 补 室 宁 愣 切 集 掌

7
zhōng líng nào hā qiàn chí tàn jué huǐ
钟 零 闹 哈 欠 迟 叹 决 悔

8
jì suàn mào lǎn guǎn jǐn pēng wò róng pǔ
计 算 冒 览 馆 紧 怦 握 容 普

fèn càn làn
奋 灿 烂

bǎi jì fǎng zhī yōu shèng wān lì
柏 纪 纺 织 优 胜 湾 粒

shén zhōu chuān yǒng dǎo gé xiá yǔ lù mín
神 州 川 涌 岛 隔 峡 与 陆 民

zú
族

9
qìng xiàn zhì jié zòu qǔ yì
庆 献 帜 洁 奏 曲 亿

10 央 瓦 庄 严 阔 碑 周 似 拼 案
yāng wǎ zhuāng yán kuò bēi zhōu shì pīn àn

坛 迹 厦
tán jì shà

11 讯 传 约 聚 挥 锣 呼 击 拥 抱
xùn chuán yuē jù huī luó hū jī yōng bào

泪 泽 克 扬
lèi zé kè yáng

12 省 店 橱 指 接 讲 铺 毯 银 仗
shěng diàn chú zhǐ jiē jiǎng pū tǎn yín zhàng

语文园地三
退 危 险 买 卖 反 杂 简 单
tuì wēi xiǎn mǎi mài fǎn zá jiǎn dān

识字4
寸 益 彰 豹 障 泰 徒 功 渠
cùn yì zhāng bào zhàng tài tú gōng qú

13 沿 际 信
yán jì xìn

14 葫 芦 藤 哇 盯 邻
hú lú téng wa dīng lín

15 枣 浅 秃 忍 呗 虽 乘 思
zǎo qiǎn tū rěn bei suī chéng sī

16 抽 续 吸 极 夫 汗 驶 示 筝 踪
chōu xù xī jí fū hàn shǐ shì zhēng zōng

179

shāng zé
伤 责

17 酸 葡 萄 狐 狸 串 迫 待 硬
suān pú táo hú lí chuàn pò dài yìng

语文园地四 茶 泡 饱 袍 鞭 炮
chá pào bǎo páo biān pào

识字5 移 谋 柴 焰 易 折 搓 绳 斤 独
yí móu chái yàn yì zhé cuō shéng jīn dú

18 刺 猬 板 凳 糙 但 傍 椅 瞧 留
cì wèi bǎn dèng cāo dàn bàng yǐ qiáo liú

19 术 铅 惹 吐 桌 盒 注 削 皱
shù qiān rě tǔ zhuō hé zhù xiāo zhòu

20 坏 扎 抓 莓 幸 福 吵 受
huài zā zhuā méi xìng fú chǎo shòu

21 之 轮 期 第 任 惯 式 眯 郑
zhī lún qī dì rèn guàn shì mī zhèng

语文园地五 铁 钉 裙 裤 袄 疼 痛 疯
tiě dīng qún kù ǎo téng tòng fēng

识字6 恨 漠 炭 贫 富 饥 索 奉 永
hèn mò tàn pín fù jī suǒ fèng yǒng

22 科 亚 呆 始 猜 拴 逗
kē yà dāi shǐ cāi shuān dòu

180

23	liáng 良	suō 缩	yáo 遥	xún 寻	shí 食	qì 泣	jiàn 健	kāng 康	cāo 操
24	zé 则	zuó 昨	shā 纱	xiàn 羡	mù 慕	fěn 粉	liào 料	tào 套	fèn 份	mèi 妹

	guì 贵	jì 寄	fèi 费

25	kè 客	hé 何	zèng 赠	wāng 汪	zhōu 舟	yù 欲	tà 踏	tán 潭

语文园地六	lì 历	gòng 贡	kěn 肯	shàn 扇	què 确	chóu 愁

识字7	hù 护	láo 牢	kǒng 孔	què 雀	jǐn 锦	yīng 鹰	cóng 丛	lí 鹂	líng 灵	xī 嬉

26	jī 叽	zhā 喳	péng 蓬	yuè 跃	léng 棱	cháo 巢	zhǎn 崭	pái 牌

27	cè 侧	juǎn 卷	xīn 欣	shǎng 赏	guī 龟	jìng 镜	yìng 映	huàn 幻	yǎn 演	jiāo 蕉

	rēng 扔	kuà 跨

28	shèn 甚	zhì 至	zhēng 蒸	sǐ 死	jì 继	hū 乎	dāo 叨

29	méng 蒙	nán 喃	wèi 味	nóng 浓	téng 腾	liè 猎	lí 黎

181

shè	wèi	tián	cháng	é	yǔ	zhòu	zài	jiàn
射	卫	填	嫦	娥	宇	宙	载	箭

30

fú	báo	bào	zào	guàn	gài	qì	yān	jià	huǐ
浮	雹	暴	躁	灌	溉	器	淹	稼	毁

zāi
灾

31

guā	li	quān	wén	pèng	fǎn
呱	哩	圈	纹	碰	返

32

shū	bì	xū	bǎng	tōng	bēi	sù	ké	sòu	gōu
舒	必	须	绑	通	杯	塑	咳	嗽	钩

jiàn	pēn	shè	yù
件	喷	设	浴

33

bó	zhēn	sūn	xī	jué	ròu	shǐ	hé	quē	fá
博	珍	孙	悉	绝	肉	史	核	缺	乏

xī
稀

34

nóng	jì	yuán	lóng	jiè	shào	péi	yù	chǎn	péng
农	技	袁	隆	介	绍	培	育	产	棚

kòng	zhì	ní	zhuó
控	制	泥	茁

（共 450 个字）

生 字 表 （二）

识字1
yí	shí	sè	huá	gǔ	jīn	jìn	céng	fēng	zhuàng
宜	实	色	华	谷	金	尽	层	丰	壮

1
bō	làng	dēng	zuò	zì	píng	lì	láo
波	浪	灯	作	字	苹	丽	劳

2
yóu	qí	qū	jù	tā	ān	kuài	zhàn
尤	其	区	巨	它	安	块	站

3
yǐ	jiǎ	dòu	shí	fēn	jīng	rú	hǎo	wá	wā
已	甲	豆	识	纷	经	如	好	娃	洼

4
yú	shǒu	zhī	fēng	jì	liú
于	首	枝	枫	记	刘

识字2
hú	xì	qí	gāng	guān	tán	qín	yǎng
胡	戏	棋	钢	观	弹	琴	养

5
xiū	shēn	tián	gē	yuàn	chú	xī	nín	qiān	kùn
休	伸	甜	歌	院	除	息	您	牵	困

6
yuán	qīng	níng	shì	yàng	xiào	qiè	jiào	xiǎng	bān
员	青	宁	室	样	校	切	教	响	班

7
qiàn	yuán	bāo	zhōng	tàn	hā	chí	nào
欠	元	包	钟	叹	哈	迟	闹

8
jí	shēn	zǐ	xì	cì	wài	jì	pēng	lǐ	jiā
及	身	仔	细	次	外	计	怦	礼	加

183

识字3	xī 夕	yǔ 与	chuān 川	zhōu 州	tái 台	zhēng 争	mín 民	zú 族
9	yì 亿	jié 洁	huān 欢	zǔ 祖	qí 旗	zhì 帜	qìng 庆	qǔ 曲
10	yāng 央	jiāo 交	shì 市	páng 旁	yōu 优	yīn 阴	tán 坛	chéng 城	guó 国	tú 图
11	shēn 申	pǐ 匹	hù 互	jīng 京	lèi 泪	yáng 洋	yōng 拥	bào 抱	xiāng 相	yáng 扬
12	jiǎng 讲	dǎ 打	zhǐ 指	jiē 接	jīng 惊	gù 故	hòu 候	qí 奇
识字4	cùn 寸	luò 落	bǔ 补	bá 拔	gōng 功	zhù 助	qǔ 取	suǒ 所
13	xìn 信	yán 沿	tái 抬	jì 际	wā 蛙	cuò 错	dá 答	hái 还
14	yán 言	měi 每	zhì 治	kē 棵	guà 挂	wa 哇	guài 怪	màn 慢
15	zěn 怎	sī 思	chuān 穿	wān 弯	bǐ 比	fú 服	qiǎn 浅	piào 漂	la 啦	a 啊
16	fū 夫	biǎo 表	shì 示	hào 号	hàn 汗	shāng 伤	xī 吸	jí 极
17	chuàn 串	tù 兔	gào 告	sù 诉	hú 狐	lí 狸	hóu 猴	kē 颗

识字5 　jīn　zhé　tiāo　gēn　dú　mǎn　róng　yì
斤　折　挑　根　独　满　容　易

18　cǎi　bēi　bǎn　yǐ　dàn　bàng　qīng　xiāo
采　背　板　椅　但　傍　清　消

19　yóu　shù　tǔ　zhù　kè　qiān　bǐ　zhuō　jǐng　ná
由　术　吐　注　课　铅　笔　桌　景　拿

20　huài　sōng　zā　zhuā　zhù　fú　jù　xìng
坏　松　扎　抓　祝　福　句　幸

21　zhī　lìng　bù　zhí　dāng　dì　xiàn　qī　lún　lù
之　令　布　直　当　第　现　期　轮　路

识字6　chǒu　yǒng　jī　bǎo　wēn　nuǎn　pín　fù
丑　永　饥　饱　温　暖　贫　富

22　hù　yà　jiǎo　zhōu　chuáng　bìng　shǐ　zhāng
户　亚　角　周　床　病　始　张

23　xún　kū　liáng　shí　shuāng　tǐ　cāo　chǎng
寻　哭　良　食　双　体　操　场

24　fèn　fěn　zuó　qíng　gū　niáng　mèi　dú
份　粉　昨　晴　姑　娘　妹　读

25　zhōu　chéng　yīn　kè　hé　wāng
舟　乘　音　客　何　汪

识字7　cóng　láo　pāi　hù　bǎo　wù　jī　māo
丛　牢　拍　护　保　物　鸡　猫

	yǔ	lǐng	zhuō	lǐ	yuè	bèng	líng	chén
26	羽	领	捉	理	跃	蹦	灵	晨

	shī	jué	rēng	diào	yǎn	jīng	zhǐ	chuán
27	失	觉	扔	掉	眼	睛	纸	船

	jiǔ	hū	zhì	sǐ	yāo	jiǎn	lì	bèi
28	久	乎	至	死	腰	捡	粒	被

	bìng	yè	xǐ	zhòng	wèi	qīng	kè	qún
29	并	夜	喜	重	味	轻	刻	群

识字8

	wèi	yùn	yǔ	zhòu	háng	jiàn		
	卫	运	宇	宙	航	舰		

	chōng	shài	chí	fú	zāi	hài	hēi	qì
30	冲	晒	池	浮	灾	害	黑	器

	àn	wén	dòng	yǐng	dào	yóu	yuán	wéi
31	岸	纹	洞	影	倒	游	圆	围

	bēi	jiàn	zhù	xū	néng	piāo	bì	shì
32	杯	件	住	须	能	飘	必	事

	lì	shǐ	miè	kè	huà	dài	sūn	zhí
33	历	史	灭	克	化	代	孙	植

	chǎng	chǎn	jiè	nóng	kē	jì	fǎng	zhī
34	厂	产	介	农	科	技	纺	织

（共350个字）